S4C Cyw

Antur Wyllt Bolgi

Bolgi's Wild Adventure

Llyfr dwyieithog A bilingual book

y Lolfa

Awdur: Anni Llŷn

Argraffiad cyntaf: 2019

Lluniau:
Bait a Debbie Thomas

Rhif llyfr rhyngwladol:
ISBN: 978 1 78461 802 5

Dymuna'r cyhoeddwr gydnabod cymorth ariannol Cyngor Llyfrau Cymru a chydweithrediad S4C, Boom Plant a Bait (Rhan o Boom Cymru).

Cyhoeddwyd ac argraffwyd yng Nghymru gan
Y Lolfa Cyf., Talybont, Ceredigion, SY24 5HE
e-bost: ylolfa@ylolfa.com
y we: www.ylolfa.com
ffôn: 01970 832304
ffacs: 01970 83278

Roedd hi'n ddiwrnod oer o hydref ac roedd Bolgi wedi gwisgo'n gynnes, yn barod i fynd ar antur natur.

It was a cold autumn day, and Bolgi had put on warm clothes to go on a nature adventure.

Gwisgodd pawb arall yn gynnes hefyd a dilyn Bolgi i'r goedwig. Yno, roedd arwydd yn dangos lluniau o fywyd gwyllt.

Everybody else put on their warm clothes as well and followed Bolgi to the forest. There, they found a signpost covered with pictures of wildlife.

Roedd 'Cliwiau Antur Natur' wedi ei ysgrifennu ar yr arwydd, ac i ffwrdd â'r criw drwy'r goedwig.

'Nature Adventure Clues' was written on the sign, so off they went through the forest.

Cyn bo hir, gwaeddodd Bolgi, "Dwi'n gallu gweld cliw!" Dangosodd olion traed i'r criw. Traed main fel dwylo bach, bach.

After a while, Bolgi shouted, "I can see a clue!" He showed the gang some footprints. Little prints that looked like tiny hands.

"Dwi'n gwybod beth yw e!" meddai Jangl.
"Anifail bach, swil, a'i gefn yn bigog..."

"I know what it is!" said Jangl.
"A small, shy animal with a spiky back..."

"Draenog!" Gwelodd y criw y draenog bach yn symud yn araf drwy'r dail.

"A hedgehog!" They saw the little hedgehog moving slowly through the leaves.

Ond wrth i'r draenog bach eu gweld, dychrynodd a throi'n belen bigog. Gwell oedd gadael llonydd iddo.

But when the little hedgehog saw them, he got scared and screwed up like a ball. It was best to leave him alone.

**Crwydrodd y criw ymlaen ar eu hantur.
Roedd traed pawb yn fwdlyd iawn.**

Away they went on their adventure.
Their feet were very muddy.

Ond roedd Plwmp yn fwy mwdlyd na neb.
Roedd ganddo fwd ar ei drwnc hyd yn oed!

But Plwmp was muddier than anyone.
He even had mud on his trunk!

Yng nghanol y chwerthin, sylwodd Bolgi ar rywbeth. "Dwi'n gallu gweld cliw!" meddai a dangosodd we arian, ddisglair i'r criw. Cartref rhyw greadur.

While they were laughing, Bolgi noticed something. "I can see a clue!" he said, and pointed to a sparkling silver web; some creature's home.

“Dwi’n gwybod beth yw e!” meddai Llew.
“Mae ganddo wyth coes er mwyn symud yn sydyn…”

“I know what it is!” said Llew.
“He’s got eight legs so that he can move swiftly…”

"Pry copyn!" Daeth y pry copyn i ganol ei we i ddweud helô wrth Bolgi a'i ffrindiau.

"A spider!" The spider came to the middle of his web to say hello to Bolgi and his friends.

Roedd pawb wrth eu bodd gyda'r pry copyn a'i gartref hardd.

Everybody loved the spider and his beautiful home.

Ar ôl cerdded am sbel, sylwodd Deryn fod Cyw ar goll. "Ble mae Cyw?" holodd.

After walking for a while, Deryn noticed that Cyw was missing. "Where's Cyw?" she asked.

Ond cyn i bawb ddechrau chwilio amdani, neidiodd Cyw o ganol pentwr dail a'u dychryn! Am hwyl oedd antur natur Bolgi!

But before they all started looking for her, Cyw jumped out from a heap of fallen leaves. Bolgi's nature adventure was so much fun!

Yna, meddai Bolgi eto, "Dwi'n gallu gweld cliw arall!"
Dangosodd bentwr o gnau i'r criw. Bwyd rhyw anifail.

Then Bolgi said again, "I can see a clue!"
He showed the crew a pile of nuts. Some animal's food.

"Dwi'n gwybod beth yw e!" meddai Cyw.
"Anifail bach bywiog, sy'n dringo'n uchel..."

"I know what it is!" said Cyw.
"A lively little animal who can climb up high..."

“Gwiwer!” Daeth y wiwer allan o dwll yn y goeden i lawr at y cnau cyn cario rhai yn ôl gyda hi.

“A squirrel!” The squirrel came out of a hole in the tree and picked up a few nuts before carrying them back up.

Roedd dringo coed yn edrych yn hwyl, meddyliodd Llew, ac i ffwrdd â fe i ddringo.

Climbing trees looked like a lot of fun, thought Llew, and off he went to climb.

Cafodd y criw hwyl drwy'r prynhawn yn dringo coed, cuddio yn y dail a rhowlio yn y mwd.

The crew had fun all afternoon climbing trees, hiding in the leaves and rolling around in the mud.

Fe welson nhw greaduriaid eraill hefyd – robin goch, malwoden a hyd yn oed llwynog!

They saw other creatures too – a robin, a snail and even a fox!

Roedd hi wedi bod yn ddiwrnod gwych, a Bolgi a'r criw wedi cael antur a hanner. Tybed a gei di gyfle i fynd ar antur natur cyn bo hir?

It had been a wonderful day and Bolgi and the crew had had a great adventure. Maybe you can go on a nature adventure one day?